Eye

wenskaarten

Karin Robberse

FORTE UITGEVERS

Inhoud

ISBN 90 5877 339 6
NUR 475

Dit is een uitgave van
Forte Uitgevers BV
Postbus 1394
3500 BJ Utrecht

Voor meer informatie over de creatieve boeken van Forte Uitgevers:
www.hobby-party.com

Begeleiding: Hilde Vinken
Eindredactie: Gina Kors-Lambers
Fotografie en digitale beeldbewerking: Piet Pulles Fotografie, Waalwijk
Vormgeving omslag en binnenwerk: BADE ceatieve communicatie, Baarn

Voorwoord

Toen Kars me aanbood om eyeletmallen te gaan ontwerpen, was ik direct enthousiast. Heerlijk om je fantasie de vrije loop te laten en er op los te schetsen. Na veel tekeningen zijn we uiteindelijk op de zes mallen die ik in dit boek heb gebruikt gekomen. Ondanks dat dit inmiddels mijn zevende hobbyboekje is, blijft mijn enthousiasme over het mogen gebruiken van de nieuwste materialen groot. Ik hoop dat je dit van de foto's af kan lezen en zo ook menig uurtje kan vullen met de vreselijk leuke hobby: kaarten maken. Zelfs als je alleen op zoek bent naar een manier om je foto's mooi in te plakken of te versturen, heb je aan dit boekje een grote inspiratiebron. Iedere liefhebber van snijden, borduren, embossen en combineren van kleuren kan zijn hart ophalen met de eyeletmallen.

Veel hobby plezier.

Olaf, Stefan, Lisa, Maaike, Jessica, Melanie, Bente en mama Tiny, bedankt dat ik jullie foto's mocht gebruiken.

Kijk voor meer inspiratie op http://home.wanadoo.nl/villa-kakel-bont

Technieken

Werkwijze algemeen

Zet de mal met mallentape vast op papier of kaart, om te voorkomen dat het gaat schuiven. Snijd altijd op een daarvoor bestemde snijmat en gebruik een mesje dat lekker in de hand ligt. Je kunt natuurlijk ook met een potlood met scherpe punt de snijlijnen tekenen. Nadat je de mal van het papier hebt gehaald, snijd je de lijnen. Er blijven kleine stukjes, de zogenaamde 'bruggetjes' over, die je zelf los moet snijden of knippen, anders zou de mal uit elkaar vallen. Wil je een uitgesneden deel met eyelets vastzetten, kies dan gaatjes voor de eyelets die binnen de snijlijnen vallen.

Kaarten

De mallen zijn ontworpen voor vierkante kaarten van 13 x 13 cm. Je kunt de mallen ook gebruiken voor kaarten van een ander formaat. De helft van een A4 vel wordt dubbelgevouwen tot een kaart van 10 x 15 cm. Je kunt de kaarten ook kant-en-klaar kopen, in dit boekje zijn de kaarten en het papier van Artoz gebruikt. Artoz kaarten hebben een fijne structuur en zijn te koop in prachtige kleuren die goed te combineren zijn.

Eyeletmallen

Deze mallen zijn speciaal ontworpen voor het werken met eyelets, omdat het soms moeilijk is om een mooi figuur met eyelets op de kaart te maken. Met deze mallen kun je heel systematisch je kaart opbouwen uit diverse lagen papier. Het combineren van kleuren en vormen gaat zo gemakkelijker. Gebruik altijd een scherp mesje, en probeer die zo recht mogelijk in de mal te gebruiken, zodat je geen randen van de mal afsnijdt. Maak de mallen altijd schoon met lauwwarm water en een beetje afwasmiddel en laat de mallen goed drogen voordat je ze in de stevige verpakking opbergt. Sla nooit met de eyelet tools door je mal, daar zijn ze niet voor gemaakt. Let er bij stempelinkt altijd op dat de inkt op waterbasis is, anders krijg je het niet meer van je mal en kan het gaan afgeven als je gaat embossen. Leg de mallen regelmatig op de kaart terug, om te kijken of alles op de juiste plek zit. Houd de kant waar de naam en het nummer van de mal instaan als voorkant, zodat je niet opeens in spiegelbeeld uitkomt. Dit geldt vooral bij de mal met de vier figuurtjes en bij de mal met negen vakjes. Zoals je in dit boekje ziet kan je alle technieken combineren, mits de kleuren bij elkaar passen.

1. Embossen met een eyeletmal.

2. Het bevestigen van eyelets.

3. Figuren snijden uit een eyeletmal.

4. Het opbrengen van reliëf pasta.

Eyelets

Wat de eyelet zo bijzonder maakt, is de grote variatie in vorm en kleur. Teken de plekken waar je de eyelets op je kaart wilt hebben met behulp van de mal. Sla met de tool of pons met de gaatjestang het gaatje voor de eyelet. Druk de eyelet door het gaatje en sla de eyelet (met of zonder figuurtje of ponsfiguurtje) vast op je kaart. Draai de kaart om, zet de tool met het bolletje in het pijpje van de eyelet en geef er een stevige klap met de hamer op. Let er goed op, dat je de materialen van hetzelfde merk gebruikt, omdat de maten van de eyelets en de verschillende toolsets kunnen afwijken.

Embossen

Je kunt ook prima embossen met eyeletmallen. Wil je verschillende kleuren combineren, kies voor het embossen dan de lichtste kleur. Plak de mal vast op het papier en leg het met de mal onder het papier op de lichtbak. "Teken" met de embossing pen langs de randen van de mal. Je hoeft de vlakjes niet helemaal te vullen, alleen de randen is voldoende. Let er op, dat je de hoeken mooi scherp embost. Druk niet te hard, anders scheurt je papier. Ook bij de gaatjes goed rondom embossen voor een perfect resultaat. Draai je papier om, om te zien of je alle delen hebt gehad voordat je de mal van het papier loshaalt.

Borduren

Plak de mal vast op je kaart of op het papier en leg het geheel op een prikmat. Prik de gaatjes, maak ze niet te groot. Plak het uiteinde van de draad met een stukje plakband aan de achterzijde van de kaart vast en steek de naald naar de voorkant. Rijg het kraaltje op de draad en steek door hetzelfde gaatje weer naar de achterkant. Ga zo door tot je alle kraaltjes op de kaart hebt "geborduurd" en plak het uiteinde van de draad aan de achterkant vast. Wil je geen kraaltjes borduren, maar met een mooie draad de lijnen op de kaart aangeven, steek de draad dan aan de voorzijde van de kaart van de ene plek naar de andere. De achterzijde van de kaart werk je af door er een enkele kaart van dezelfde kleur tegenaan te plakken, zodat je de draden niet meer ziet. Kraaltjes borduren doe je altijd nadat je de eyelets in de kaart hebt geslagen, anders sla je de kraaltjes en je kaart kapot.

Reliëf pasta

Plak de mal op je kaart of papier. Neem een restje dik papier en vorm het tot een "schepje" door het te buigen of gebruik een spateltje.

Schep hiermee wat pasta uit de pot en smeer het over de mal. Door het stukje papier over de mal te schrapen, verdeel je de pasta en wordt het mooi glad. Duw er niet te hard op, anders loopt de pasta onder de mal. Gebruik de pasta op een los stuk papier. Als je het direct op de kaart wilt gebruiken, plak dan de snijlijntjes en eyeletgaatjes die je niet wil gebruiken af met mallentape. Laat de pasta een paar uur drogen voor je verder gaat. Het papier kan door het vocht in de pasta wat gaan bobbelen, iets wat je door het strak vastzetten met eyelets mooi kan verbergen. Sla de eyelets niet te hard vast waar je pasta hebt gebruikt, want dan kan de pasta van je papier afbreken. De pasta kun je later kleuren met stift of potlood.

Foto's

Een persoonlijker kaart kan haast niet wanneer je foto's van je kinderen, je vakantie of van de jarige gebruikt. Meestal heb je daar dan wel kleinere afbeeldingen van nodig. Die heb ik bij www.pixum.nl laten afdrukken. Daar heb je de mogelijkheid om een digitale foto als portefeuillefoto of als paspoortfoto te laten afdrukken. Je krijgt dan vier of zes kleine afbeeldingen van je foto op een afdruk. Je kunt ze voor de kaarten in dit boekje goed gebruiken en je hebt er gelijk een paar om weg te geven. Plak de mal op de foto en snijd heel voorzichtig en secuur de snijlijnen van de vorm die je wilt hebben. Haal de foto voorzichtig van de mal en knip langs de dunne snijlijntjes. Plak de foto pas op als je alle andere handelingen op je kaart hebt gedaan. Krasjes en vingerafdrukken zijn op een foto moeilijk te verwijderen.

Gebruikte materialen

- ❑ *Artoz kaarten*
- ❑ *Artoz papier*
- ❑ *Artoz kaartkarton*
- ❑ *eyeletmallen*
- ❑ *mallentape*
- ❑ *eyelets*
- ❑ *eyelets mini*
- ❑ *eyelets fun*
- ❑ *eyelet toolkit*
- ❑ *eyelet mini tool-kit*
- ❑ *eyelet mat*
- ❑ *eyelet tags*
- ❑ *hamertje*
- ❑ *bradletz*
- ❑ *Déjà Views*
- ❑ *Marjoleine's dessinpapier*
- ❑ *figuurponsen*
- ❑ *rand ornamentponsen*
- ❑ *reliëf pasta*
- ❑ *pasta spatel*
- ❑ *kraaltjes*
- ❑ *raffia*
- ❑ *embossing tool*
- ❑ *lichtbakje*
- ❑ *waxinelichtje*
- ❑ *prikpen*
- ❑ *prikmatje*
- ❑ *snijmesje*
- ❑ *snijmat*
- ❑ *lijm*
- ❑ *3D-foamtape of 3D-foamblokjes*
- ❑ *schaartje*
- ❑ *potlood*
- ❑ *gaatjestang*

Kaarten met ster en cirkel

Kaart 1

kaart 13 x 13 cm algengroen 367 • papier: azuurblauw 393 en donkerblauw 417 • eyelets lichtblauw • eyelets fun lichtblauw • kraaltjes transparant • Déjà Views blauw • gelpen wit

Plak de mal op azuurblauw papier en embos de lijnen volgens voorbeeld. Teken gaatjes voor de kraaltjes. Knip de cirkel uit het papier en plak het op de kaart. Controleer met de mal of de cirkel goed op de kaart is geplaatst en teken eyeletgaatjes op de kaart. Snijd de donkerblauwe en gedecoreerde vlakjes uit en plak ze op de kaart. Prik gaatjes voor de kraaltjes. Maak gaatjes en sla eyelets in de kaart. Borduur de kraaltjes op de kaart. Borduur op de hoeken drie kraaltjes in één gaatje, door drie kraaltjes op je naald te nemen voordat je de draad weer

1.
2.
3.
4.

door de kaart naar de achterkant steekt. Teken stiksteekjes middenop de kaart.

Kaart 2

kaart 13 x 13 cm donkerblauw 417 • papier: wit 211 en zeegroen 363 • eyelets fun: zilver en lichtblauw • Déjà Views blauw • gelpen: wit en blauw

Plak de mal op ruitjespapier en snijd de buitenste cirkel. Plak de cirkel op de kaart. Leg de mal op de kaart en controleer of de cirkel goed op de kaart is geplakt. Teken eyeletgaatjes. Plak de mal op wit papier en embos volgens voorbeeld de lijntjes en gaatjes. Teken eyeletgaatjes en knip het figuur uit langs de geëmboste lijntjes. Plak het op de kaart. Snijd een zeegroen vierkantje en plak die middenop de kaart. Knip een bloemetje uit gedecoreerd papier en plak dit met een paar 3D-blokjes op de kaart. Teken stiksteekjes. Maak gaatjes en sla eyelets in de kaart.

Kaart 3

kaart 13 x 13 cm wit 211 • kaartkarton donkerblauw 417 • eyelets lichtblauw • Déjà Views blauw

Plak de mal op donkerblauw karton en breng de pasta gelijkmatig aan. Haal de mal er voorzichtig af en laat het goed drogen. Plak de schoongemaakte mal op de kaart en embos de hoeken. Plak de mal op het gedecoreerde papier en snijd de snijvlakjes er uit. Snijd langs de buitenste lijnen van de cirkel het figuur uit het papier. Plak het op de kaart. Leg de mal op de kaart en teken eyeletgaatjes. Maak gaatjes en sla eyelets in de kaart. Knip, als de pasta goed droog is, de ster uit het blauwe papier. Plak de ster op de kaart.

Kaart 4

kaart 13 x 13 cm zeegroen 363 • papier: algengroen 367 en wit 211 • eyelets fun: zilver en lichtblauw • eyelets zilver • Déjà Views blauw

Plak de mal op algengroen papier en snijd alle vlakjes, behalve de middelste vier kleine driehoekjes, uit het papier. Snijd langs de buitenste snijlijnen het vierkant uit. Plak de mal op wit papier en snijd langs de buitenste snijlijn van de cirkel. Plak het algengroene papier op de witte cirkel op de kaart. Plak de mal op het gedecoreerde papier en snijd het figuur uit volgens voorbeeld. Plak het op de kaart. Leg de mal op de kaart en teken eyeletgaatjes. Maak gaatjes en sla eyelets in de kaart.

Vlinderkaarten

Kaart 1

kaart 13 x 13 cm roze 481 • kaartkarton korenbloem 425 • Déjà Views paars • eyelets roze • eyelets fun: roze en paars • gelpen paars

Plak de mal op korenbloem karton en smeer de pasta gelijkmatig uit. Laat het goed drogen. Plak de schoongemaakte mal op de kaart en embos de buitenste lijntjes, gaatjes en snijvlakjes rondom en in het midden van de vleugels van de vlinder. Plak de mal op gedecoreerd papier en snijd het lijfje en de kop van de vlinder. Teken stiksteekjes en lijntjes met een gelpen door de mal heen op het lijfje en de kop. Teken eyeletgaatjes. Plak het op de kaart. Knip de vleugels uit het karton met pasta en plak ze op de kaart. Maak gaatjes en sla eyelets in de kaart. Teken stiksteekjes langs de randen van de kaart.

Kaart 2

kaart 13 x 13 cm korenbloem 425 • papier sering 453 • eyelets fun: roze, rood en paars • Déjà Views paars • figuurpons bloem • kraaltjes paars • gelpen: wit en paars

Plak de mal op gedecoreerd papier en snijd de snijvlakken uit. Snijd de buitenste cirkels en ovalen uit de vleugels. Snijd het lijfje uit. Teken gaatjes voor de kraaltjes. Teken met de gelpen, door de mal heen, de lijntjes van de vlinder. Embos de buitenste snijlijnen en knip het vierkant hierlangs uit. Plak de mal op sering papier en snijd langs de buitenste snijlijnen het grote vierkant uit. Plak het vierkant op de kaart. Plak het gedecoreerde papier met de vlinder op de kaart. Pons uit sering papier vier bloemen en plak ze op de vleugels. Teken stiksteekjes. Prik gaatjes voor de kraaltjes. Maak gaatjes in de kaart en in de ponsfiguurtjes. Sla eyelets in de kaart. Borduur kraaltjes op de kaart.

Kaart 3

kaart 13 x 13 cm wijnrood 519 • papier: wit 241 en wijnrood 519 • eyelets roze • eyelets fun: roze en paars • Déjà Views paars • gelpen paars

Plak de mal op wit papier en embos de buitenste lijnen van de mal en de omtrek van de vlinder. Snijd de buitenste snijvlakken uit. Knip het vierkant langs de geëmboste lijnen uit. Plak het op de kaart. Plak de mal op wijnrood papier en snijd het lijfje uit.

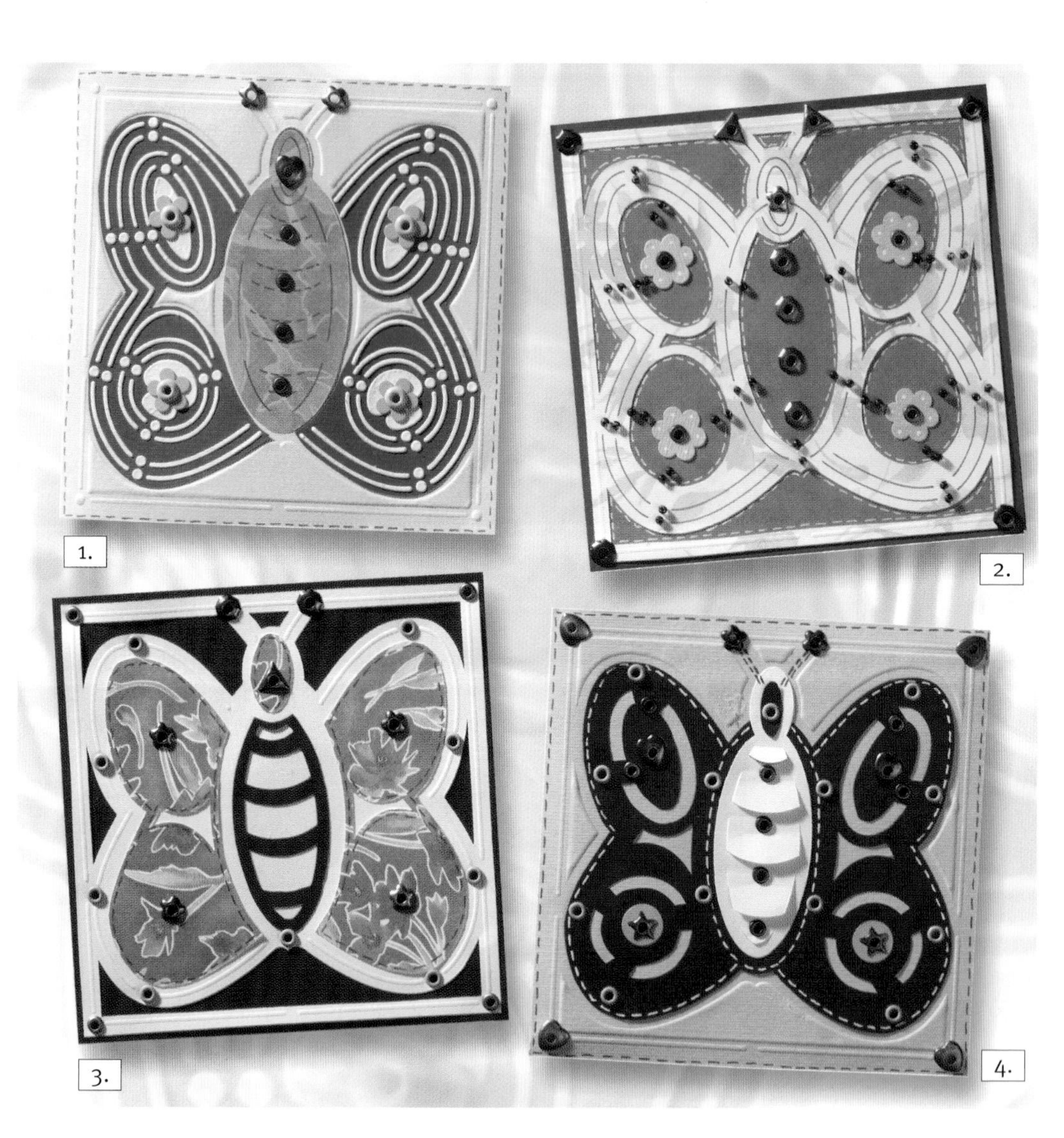
1.
2.
3.
4.

1.
2.
3.
4.
H o e r a

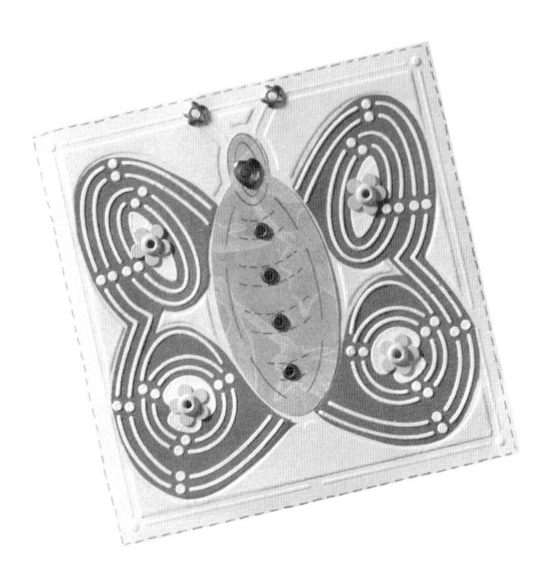

Eerst de snijvlakken, daarna de omtrek. Plak het op de kaart. Plak de mal op gedecoreerd papier en snijd de kop en de vleugels. Plak ze op de kaart en controleer het geheel door de mal op de kaart te leggen. Teken eyeletgaatjes. Teken stiksteekjes. Maak gaatjes en sla eyelets in de kaart.

Kaart 4

kaart 13 x 13 cm sering 453 • papier: wit 211 en vuurrood 549 • eyelets roze • eyelets fun: paars en roze • gelpen: roze en paars

Plak de mal op de kaart en embos de buitenste snijvlakken en de buitenste snijlijnen. Teken eyeletgaatjes. Plak de mal op vuurrood papier en snijd de snijvlakjes. Snijd de snijvlakjes in de vleugels door twee snijlijnen door te snijden en dan te verbinden. Teken eyeletgaatjes. Snijd de vlinder uit het papier en plak het op de kaart. Plak de mal op wit papier en snijd de snijvlakjes van het lijfje, maar laat de bovenste stukjes van de vlakjes vastzitten. Teken eyeletgaatjes. Snijd het lijfje uit en plak het op de kaart. Teken stiksteekjes. Maak gaatjes en sla eyelets in de kaart. Vouw de vlakjes van het witte lijfje een beetje open, zodat het schubbetjes lijken.

Kaarten met grote ruiten

Kaart 1

kaart 13 x 13 cm koningsblauw 427 • papier chamois 241 • scrapbookpapier K & Company Juliana 0110 • eyelets blauw • eyelets fun blauw • gelpen: wit en blauw • Déjà Views paars
Leg de mal op het scrapbookpapier en zoek tot je de afbeelding mooi in het ruitje van de derde snijlijn hebt. Snijd de afbeelding uit en teken gaatjes voor de eyelets. Plak de mal op chamois papier en embos de buitenste snijlijnen. Teken gaatjes voor de eyelets. Plak het chamois papier met daarop het scrapbookpapier op de kaart. Controleer met de mal of het goed is opgeplakt. Snijd met de mal de vier hoeken uit decoratiepapier en snijd daar de kleine hoekjes uit. Teken gaatjes voor de eyelets. Plak de vier hoeken op de kaart. Maak gaatjes en sla eyelets in de kaart. Teken stiksteekjes. Knip uit het scrapbookpapier vier kleine afbeeldingen en plak ze met 3D-blokjes op de hoeken van de kaart.

Kaart 2

kaart 13 x 13 cm sering 453 • papier: berkengroen 305, chamois 241 en koningsblauw 427 • eyelets roze • eyelets fun paars • kraaltjes blauw
Plak de mal op de kaart en embos de buitenste snijlijnen en eyeletgaatjes. Teken de middelste eyeletgaatjes. Plak de mal op chamois papier en embos de snijvlakjes op de hoeken en snijlijntjes daaromheen. Teken eyeletgaatjes. Snijd de chamois hoeken uit en plak ze op de kaart. Plak de mal op berkengroen papier en embos de tweede snijlijn met eyeletgaatjes van de dwarse ruit. Knip of snijd de ruit uit en plak het op de kaart. Plak de mal op donkerblauw papier en snijd de vlakjes uit. Snijd het figuur uit en teken de eyeletgaatjes en gaatjes voor de kraaltjes. Plak het blauwe papier op de kaart. Maak gaatjes en sla eyelets in de kaart. Teken stiksteekjes. Prik gaatjes voor de kraaltjes en borduur ze op de kaart.

Kaart 3

kaart 13 x 13 cm berkengroen 305 • papier: chamois 241 en koningsblauw 427 • Marjoleine's decoratiepapier • eyelets fun donkerroze • eyelets roze • foto
Plak de mal op chamois papier, zoals op de foto. Knip of snijd het uit en plak het op de kaart. Snijd vier roze driehoekjes uit decoratiepapier en plak ze op de hoeken. Teken gaatjes voor de eyelets. Snijd een stuk koningsblauw papier met de mal. Teken eyeletgaatjes. Plak het papier op de kaart. Snijd eenzelfde maat figuur uit de foto en teken eyeletgaatjes. Plak de foto

dwars op het blauwe papier. Maak gaatjes en sla eyelets in de kaart.

Kaart 4

kaart 10,5 x 15 cm koningsblauw 427 • kaartkarton koningsblauw 427 • papier: chamois 241 en sering 453 • knipvel labeltjes teksten en alfabet • eyelets: roze en zilver • eyelets fun blauw

Plak de mal op koningsblauw kaartkarton en smeer de pasta erop. Haal de mal voorzichtig van het karton en laat de pasta goed drogen. Nadat de mal is schoongemaakt, plak je hem op chamois papier. Embos de snijlijnen volgens voorbeeld. Teken gaatjes voor de eyelets. Knip of snijd het stuk papier uit. Snijd het sering papier een snijlijn groter dan het chamois papier. Plak ze op elkaar op de kaart. Knip de tekst "hoera" uit het knipvel en leg het op de kaart. Maak gaatjes en sla eyelets in de kaart. Als de pasta droog is, knip je het blauwe vierkantje uit. Plak het dwars op de kaart met 3D-blokjes.

Kaarten met vakjes

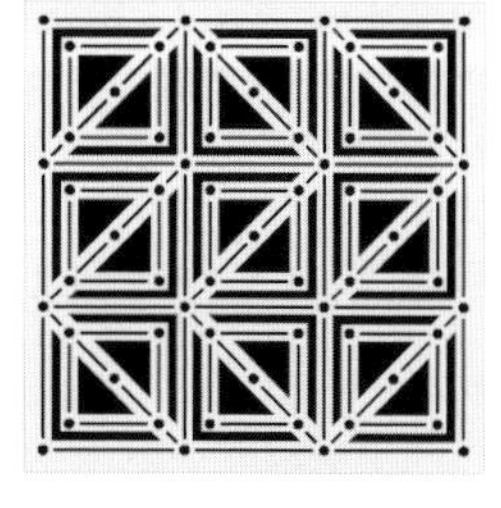

Kaart 1

kaart 13 x 13 cm rood 517 • papier: geel 275 en kreeftrood 545 • eyelets fun rood • bradletz rood • kraaltjes rood • figuurpons bloem • jumbo figuurpons bloem

Plak de mal op geel papier en embos de snijlijnen. Snijd de kleine snijvlakken uit. Snijd de snijlijntjes volgens voorbeeld. Teken gaatjes voor de kraaltjes. Snijd langs de buitenste snijlijnen het gele papier uit. Plak het op de kaart. Plak de mal op kreeftrood papier en snijd de snijvlakken van de vier hoeken uit. Teken eyeletgaatjes. Snijd de vier figuurtjes uit het papier. Plak ze op de kaart. Pons een jumbo bloem uit kreeftrood papier, een kleine bloem uit geel papier en zet ze midden op de kaart vast met een rode bradlet bloem. Maak gaatjes en sla eyelets in de kaart. Prik gaatjes in de kaart en borduur

1.
2.
3.
4.

de kraaltjes erop. Vouw de gele hoekjes een beetje omhoog.

Kaart 2

kaart 13 x 13 cm rood 517 • papier: geel 275 en kreeftrood 545 • eyelets geel • eyelets fun rood • gelpen wit

Plak lijntjes en gaatjes die je niet met pasta wilt insmeren af met mallentape. Plak de mal op de kaart en bewerk de hoeken van de mal met pasta. Laat het goed drogen. Plak de mal op geel papier nadat je hem hebt schoongemaakt. Embos de hoeken en gaatjes van vier vierkantjes. Teken eyeletgaatjes. Knip of snijd het gele vierkantje uit. Plak het op de kaart. Plak de mal op kreeftrood papier en embos drie vierkantjes, let op dat je symmetrische vormen krijgt. Embos het vierde vierkantje nadat je de mal een slag hebt gedraaid. Teken eyeletgaatjes. Knip of snijd het kreeftrode vierkantje uit en plak het dwars op de kaart. Maak gaatjes en sla eyelets in de kaart. Teken stiksteekjes.

Kaart 3

kaart 13 x 13 cm geel 275 • papier rood 517 • Déjà Views rood • eyelets: rood en geel • gelpen: rood en geel

Plak de mal op gedecoreerd papier en snijd langs de buitenste snijlijnen een vierkant. Teken eyeletgaatjes. Plak het vierkant schuin op de kaart. Plak de mal ondersteboven op rood papier. Snijd de ster en de kleine snijvlakjes uit. Teken eyeletgaatjes. Plak het figuur op de kaart. Teken stiksteekjes. Maak gaatjes en sla eyelets in de kaart.

Kaart 4

kaart 13 x 13 cm kreeftrood 545 • papier: rood 517 en geel 275 • bradletz oranje • eyelets: geel en rood • eyelet tags open fun figuren • 3 foto's

Plak de mal op rood papier en snijd, langs de buitenste randen van de buitenste snijvlakjes, drie vierkantjes uit. Teken eyeletgaatjes. Snijd het vierkant langs de buitenste snijlijnen uit. Schuif de foto's onder het rode papier tot ze goed liggen. Plak ze vast en knip de overige delen van de foto's aan de achterzijde weg. Plak het resultaat op de kreeftrode kaart. Plak de mal op geel papier en embos vier gele vierkantjes. Teken gaatjes voor de bradletz. Snijd de vierkantjes uit en plak ze op het rode papier. Maak gaatjes en sla eyelets in de kaart. Prik gaatjes voor de bradletz en bevestig ze op de kaart.

Kaarten met figuurtjes

Kaart 1

kaart 13 x 13 cm koningsblauw 427 • kaartkarton wijnrood 519 • papier mango 575 • eyelets: rood en oranje

Plak de mal met mallentape op mango papier en leg het op de lichtbak. Embos de buitenste en binnenste randen en teken de gaatjes voor de eyelets. Knip of snijd het figuur uit. Voor meer stevigheid altijd eerst de binnenste delen uitknippen of snijden, daarna pas de buitenste. Plak de mal op wijnrood karton. Neem reliëf pasta en smeer het uit over de mal en haal de mal voorzichtig van het karton. Laat de pasta drogen. Leg het mango papier op de koningsblauwe kaart. Maak gaatjes en sla eyelets in de kaart. Als de pasta droog is, knip je de figuurtjes uit en leg je ze op de kaart. Sla ze vast met eyelets.

Kaart 2

kaart 13 x 13 cm honinggeel 243 • papier: chamois 241, wijnrood 519 en koningsblauw 427 • bradletz oranje • eyelets oranje • 3 foto's • alfabetponsen • gelpen crème

Plak de mal op wijnrood papier. Snijd de buitenste lijnen van de vier figuren uit het papier. Geef met potlood de eyeletgaatjes aan. Leg de mal op koningsblauw papier en snijd er een hartje uit, een maat kleiner dan de rode hartjes. Neem drie leuke foto's en leg ze onder de openingen van het wijnrode papier. Knip de foto's iets ruimer uit en plak ze achter het papier. Plak het geheel op de kaart. Maak gaatjes en sla de eyelets erin. Maak het blauwe hartje met een bradlet vast. Pons met alfabetponsen het woord "kids" en plak het op het blauwe hartje. Teken steeksteekjes. Knip een pijltje uit chamois papier en teken er stiksteekjes op. Maak aan het uiteinde een gaatje. Prik een gaatje in het midden van de kaart en zet het pijltje met een bradlet vast.

Kaart 3

kaart 10,5 x 15 cm wijnrood 519 • papier: koningsblauw 427, en mango 575 • eyelets: blauw en oranje • stickerrand silhouet • kraaltjes blauw

Plak de mal op mango papier en snijd de vlakjes buiten het hartje uit. Geef met potlood eyeletgaatjes aan. Haal de mal van het papier en leg het hartje nog een keer op het papier, precies met de eyeletgaatjes erboven, zodat je twee harten bovenop elkaar krijgt. Snijd de vlakjes uit mango papier en teken eyeletgaatjes. Snijd nu ook alle snijlijnen van het binnenste hart, zodat je die straks open kunt vouwen. Teken gaatjes in het hartje met potlood, daar komen kraaltjes. Plak het mango papier op de wijnrode kaart, maar laat het onderste hart met snijlijntjes los. Leg de mal op koningsblauw papier en snijd een hartje uit, twee maten kleiner dan het mango hart. Teken eyeletgaatjes. Plak het blauwe hart op de kaart. Maak gaatjes en sla eyelets in de kaart. Prik met een prikpen gaatjes voor de kraaltjes in het onderste hart en borduur ze op de kaart. Vouw het binnenste en derde hartje open. Neem twee silhouet stickerranden en plak ze langs de randen van de kaart.

Kaart 4

kaart 13 x 13 cm wijnrood 519 • papier: honinggeel 243 en wijnrood 519 • eyelets fun geel

Plak de mal op honinggeel papier. Embos de lijnen en punten. Teken eyeletgaatjes. Snijd bij de ster en het hart de snijvlakjes uit het papier. Knip het gele papier langs de geëmboste lijnen uit en plak het op de kaart. Plak de mal op wijnrood papier en snijd de figuren uit, neem hierbij van alle figuren de tweede lijn. Snijd ook de kleine snijvlakjes uit. Teken eyeletgaatjes. Knip de bruggetjes door en plak de figuurtjes op de kaart. Maak gaatjes en sla eyelets in de kaart.

1.
2.
KIDS
3.
4.

Bloemenkaarten

Kaart 1

kaart 13 x 13 cm algengroen • papier: chamois 241 en zeegroen 363 • eyelets fun lichtblauw • eyelets lichtblauw • foto

Leg de mal op de foto en snijd heel voorzichtig de foto uit. Neem hiervoor de derde snijlijn van buiten. Leg de mal op chamois papier en embos de eerste en tweede snijlijn en de buitenste eyeletgaatjes. Teken de binnenste eyeletgaatjes. Leg de mal op zeegroen papier en snijd de snijvlakjes van de hoeken en middenonder uit. Leg de mal op de kaart en plak de zeegroene stukjes door de mal heen op de kaart. Plak de chamois bloem erin. Maak eyeletgaatjes en sla eyelets in de kaart. Plak de foto middenop de kaart.

Kaart 2

kaart 13 x 13 cm koningsblauw 427 • papier: chamois 241 en zeegroen 363 • eyelets fun zilver • eyelets: blauw en crème • Déjà Views blauw

Plak de mal op zeegroen papier. Snijd de snijvlakken in de hoeken en middenonder uit. Snijd de buitenste lijnen. Gebruik een scherp mesje, want het strookje papier dat overblijft, is erg smal. Knip of snijd de bruggetjes door en plak het blauwe figuur op de kaart. Plak de mal op chamois papier en embos de tweede snijlijn, de middelste driehoekjes en de eyeletgaatjes. Teken eyeletgaatjes in het midden van de bloem. Knip de bloem uit en plak het op de kaart. Plak de mal op gedecoreerd papier en snijd de bloem uit op de derde snijlijn. Teken eyeletgaatjes. Snijd de middelste cirkel uit. Knip de bruggetjes door en plak de bloem op de kaart. Maak gaatjes en sla eyelets in de kaart.

Kaart 3

kaart 13 x 13 cm chamois 241 • papier: chamois241 en koningsblauw 427 • bradletz: crème en blauw • Déjà Views blauw • kraaltjes blauw

Plak de mal op koningsblauw papier en snijd de buitenste bloem. Teken gaatjes voor de bradletz. Knip of snijd uit het geruite papier een stuk van 11 x 11 cm en plak het middenop de kaart. Plak de blauwe bloem erop. Plak de mal op chamois papier. Embos de lijnen en vlakken net als op de foto. Teken gaatjes voor de kraaltjes. Snijd de binnenste lijntjes van de snijvlakken in het midden van de bloem, laat de buitenste vast zitten. Plak de bloem op de kaart. Prik gaatjes voor de kraaltjes en de bradletz. Steek de bradletz door de kaart en vouw ze open. Borduur kraaltjes op de kaart. Gebruik bij de buitenste gaatjes drie kraaltjes tegelijk voor een speels effect.

Kaart 4

kaart 13 x 13 cm zeegroen 363 • papier: chamois 241 en koningsblauw 427 • eyelets: zilver en crème • Déjà Views blauw • gelpen: wit en blauw

Leg de mal op gedecoreerd papier en snijd de vlakken in de hoeken van de mal en middenonder uit. Leg de mal op de kaart en plak de stukjes papier door de mal heen op de kaart. Plak de mal op koningsblauw papier en snijd de buitenste snijlijnen en binnenste driehoekjes. Teken eyeletgaatjes. Knip de bruggetjes door en plak de bloem op de kaart. Plak de mal op chamois papier en embos de lijntjes, vlakjes en eyeletgaatjes. Snijd de cirkel in het midden eruit via de buitenste lijntjes van de langwerpige snijvlakjes. Knip de bruggetjes door en plak de bloem op de kaart. Maak eyeletgaatjes en sla eyelets in de kaart. Teken stiksteekjes.

Kaart met twee bloemen (zie omslag)

kaart 10,5 x 15 cm chamois 241 • papier: zeegroen 363, algengroen 367 en koningsblauw 427 • eyelets fun lichtblauw • randornamentpons • gelpen zeegroen

Plak de mal op koningsblauw papier. Smeer de pasta gelijkmatig over het midden van de bloem. Maak de mal schoon en maak met de pasta een tweede bloem, maar nu op algengroen papier. Leg de mal op zeegroen papier en snijd er twee bloemen uit.

Knip de cirkeltjes met pasta uit als het goed gedroogd is, en plak ze op de bloemen. Leg ze op de kaart en maak de gaatjes. Sla de bloemen vast met eyelets, maar niet te vast, het is leuk als de bloemetjes kunnen “wiebelen”. Pons met een randornamentpons twee lange stroken uit zeegroen papier en leg die langs de randen van de kaart. Sla de stroken vast met eyelets en knip ze op maat. Teken stiksteekjes.

1.
2.
3.
4.

1.
2.
jarig
2
nachtjes
4.
3.

Combineren met eyeletmallen

Kaart 1

kaart 13 x 13 cm mango 575 • papier: honinggeel 243 en dennengroen 339 • eyelets: oranje en groen • Marjoleine's dessinpapier • gelpen groen
Snijd een vierkant van 8,5 x 8,5 cm van het dessinpapier. Plak het dwars op de kaart. Plak mal 4 op honinggeel papier. Embos vier keer

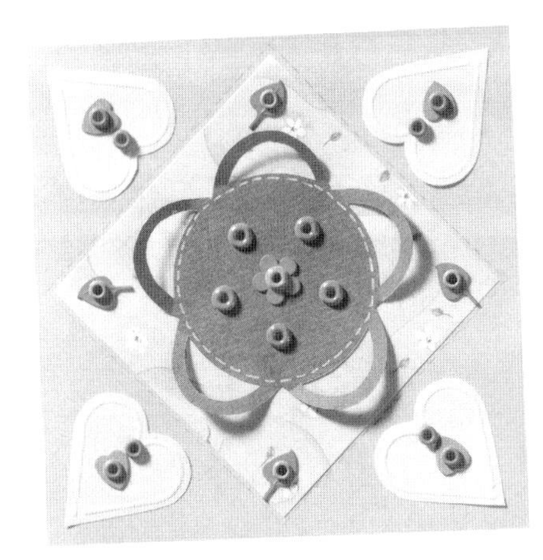

een hartje en teken eyeletgaatjes. Knip de hartjes uit en plak ze op de kaart. Plak mal 5 op dennengroen papier. Teken eyeletgaatjes, snijd de snijvlakjes van de bloemblaadjes uit en snijd de bloem uit, een snijlijntje groter dan de vlakjes. Plak de bloem middenop de kaart. Teken stiksteekjes. Maak gaatjes en sla eyelets in de kaart. Vouw de bloemblaadjes een beetje open.

Kaart 2

kaart 13 x 13 cm wijnrood 519 • papier: berkengroen 305, wijnrood 519 en mango 575 • eyelets: groen en oranje • Marjoleine's dessinpapier • jumbo pons bloem • belletjes goud • gelpen lichtgeel
Snijd van het dessinpapier een vierkant van 12 x 12 cm en plak het op de kaart. Plak mal 5 op wijnrood papier en snijd de grootste bloem uit. Plak het op de kaart. Leg de mal op de kaart om te controleren of de bloem goed is opgeplakt. Teken stiksteekjes. Plak mal 1 op mango papier en embos de snijlijntjes naast de snijvlakjes, eyeletgaatjes en het vierkant in het midden. Snijd de snijvlakjes uit. Teken eyeletgaatjes. Snijd de ster uit. Maak gaatjes in de punten van de ster en sla de eyelets erdoor. Maak met kleine raffiastrikjes de belletjes aan de punten van de ster. Leg de ster middenop de bloem en maak het middelste gaatje. Sla de eyelet erdoor, de ster kan draaien.

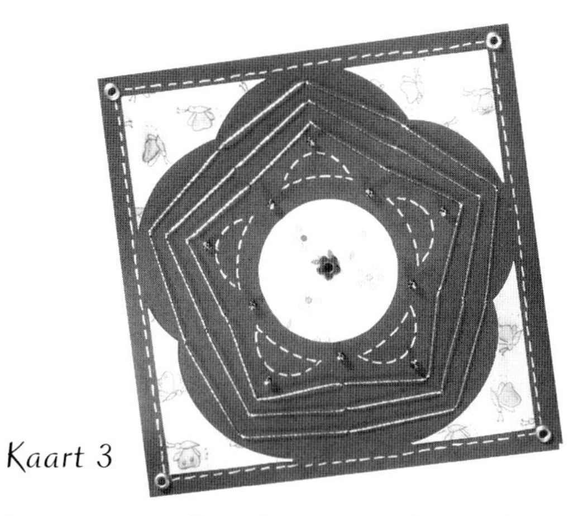

Kaart 3

kaart 13 x 13 cm wijnrood 519 • eyelets fun: goud en donkerrood • borduurgaren goud • kraaltjes groen • gelpen lichtgeel • Marjoleine's dessinpapier

Leg mal 1 op dessinpapier en snijd de buitenste snijvlakjes. Plak de mal op de kaart en plak de stukjes dessinpapier door de mal heen op de kaart. Teken gaatjes om te borduren op de kaart. Teken bloemblaadjes. Haal de mal van de kaart en teken stiksteekjes langs de randen van de kaart. Maak gaatjes en sla eyelets in de kaart. Borduur de draad en kraaltjes op de kaart.

Kaart 4

kaart 13 x 13 cm • papier: honinggeel 243 en dennengroen 339 • eyelets: oranje, groen en zilver • Marjoleine's dessinpapier • knipvel labeltjes met tekst • gelpen groen

Plak mal 2 op dennengroen papier. Snijd het kruis uit en teken eyeletgaatjes. Plak het middenop de kaart. Snijd met mal 1 een ster uit honinggeel papier, gebruik hiervoor de buitenste snijlijnen van de ster. Snijd een ster, maar dan een maatje kleiner, uit dessinpapier en plak die op de gele ster. Snijd één vlakje uit de ster en snijd aan diezelfde kant een klein driehoekje. Verbind de twee snijvlakjes, zodat een groot gat ontstaat. Teken het eyeletgaatje. Maak het gaatje en sla de ster met een eyelet middenop de kaart. Knip labeltjes met de cijfers 1, 2, 3 en 4 uit het knipvel. Plak ze door de ster heen op het groene kruis, zodat als je de ster draait, je de andere labeltjes net niet ziet. Neem een strookje honinggeel papier van 11 x 3,2 cm en embos met mal 2 lijntjes. Knip de andere labeltjes met letters uit het vel en plak "nachtjes" op het strookje. Maak gaatjes en sla eyelets in het strookje. Leg het strookje op de kaart en teken door de eyelets heen eyeletgaatjes op de kaart. Teken stiksteekjes op de kaart en het strookje. Plak de letters "jarig" op de kaart. Maak alle andere gaatjes en sla eyelets in de kaart. Rijg met raffia het strookje onder de kaart. Laat het losjes hangen. Stuur de kaart vroeg, zodat de jarige nog 4, 3, 2 en 1 nachtje af kan tellen.

Kleine kaartjes

In dit hoofdstuk laat ik wat voorbeelden van kleine kaarten zien. Het zijn leuke werkstukjes om restjes papier op te maken. Gebruik ook al die overgebleven snijvlakjes en stukjes gedecoreerd papier. Laat met deze kleine kaartjes je fantasie de vrije loop! Dit is ook een heerlijk hoofdstuk om alle losse eyelets bij op te maken en technieken te oefenen. Steek de kaartjes bij een bloemetje of een cadeautje.

Kaart 1

kaartkarton rood 517 • eyelets fun goud • gelpen lichtgeel

Plak eyeletmal 2 op rood karton. Embos vier vierkantjes en het eyeletgaatje in het midden. Verplaats de mal en embos weer vier vierkantjes en het eyelet-gaatje in het midden. Verplaats de mal voor de laatste keer en embos twee driehoeken. Teken eyeletgaatjes. Knip of snijd het hele figuur uit en vouw er een envelopje van. Zie tekening op pagina 32. Teken stiksteekjes. Maak gaatjes en sla eyelets in het envelopje, die op de flap door enkel papier, die van de envelop door beide laagjes.

Kaart 2

kaartkarton berkengroen 305 • papier vuurrood 549 • eyelets fun donkerroze

Neem een stuk berkengroen karton van 7 x 14 cm en vouw het dubbel tot een klein kaartje. Plak mal 4 op de voorkant van het kaartje en embos de ster, lijntjes en eyeletgaatjes. Snijd de snijvlakjes eruit. Teken eyeletgaatjes. Snijd een stuk vuurrood papier van 6,5 x 6,5 cm en plak het aan de binnenkant van het kaartje. Maak gaatjes en sla eyelets in het kaartje.

Kaart 3

kaartkarton mango 575 • eyelets: groen en oranje • gelpen groen • kraaltjes groen • borduurgaren groen

Maak het mango kaartje net als het groene kaartje hierboven. Plak dezelfde mal op het kaartje, maar gebruik nu de zeshoek. Teken gaatjes voor eyelets en kraaltjes. Teken stiksteekjes. Maak gaatjes en sla eyelets in het kaartje. Borduur de kraaltjes en de draad op het kaartje.

Kaart 4

kaartkarton kreeftrood 545 • papier: geel 275 en rood 517 • eyelets fun rood • eyelet sneeuwster geel

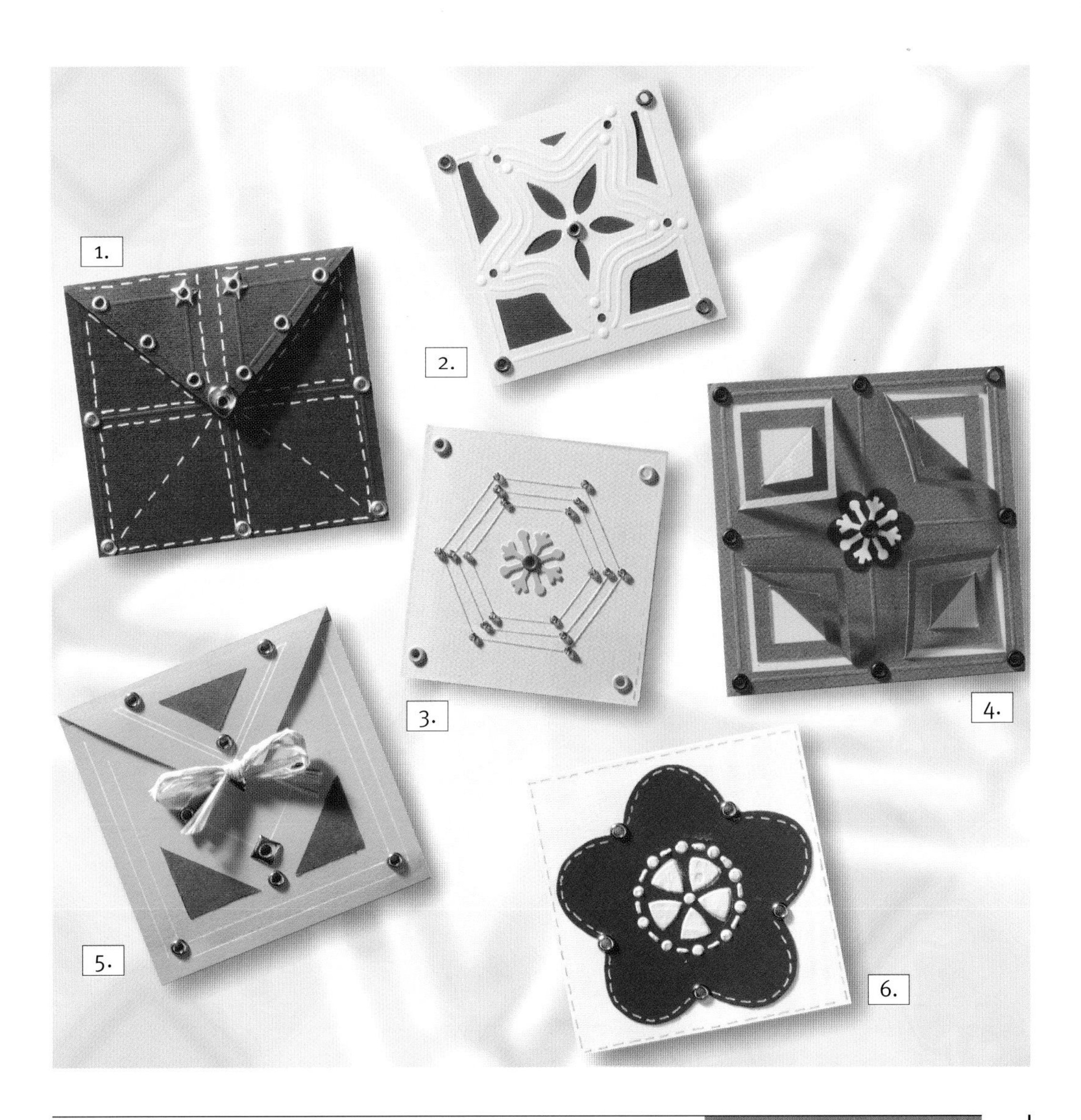
1.
2.
3.
4.
5.
6.

Maak van kreeftrood karton een dubbel kaartje van 9 x 9 cm. Plak mal 2 op het kaartje en embos vier vierkantjes. Teken eyeletgaatjes. Snijd de snijlijntjes van drie vierkantjes, voor het binnenste lijntje gebruik je de zijkanten van het snijvlakje. Het derde lijntje laat je vastzitten. Verplaats de mal om de lijnen van het vierde hoekje te snijden. Snijd een vierkant van 8,5 x 8,5 cm uit geel papier. Plak dat aan de binnenkant van het kaartje. Maak gaatjes en sla eyelets in het kaartje. Vouw de gesneden driehoekjes open, zodat de gele vlakjes goed zichtbaar worden.

Kaart 5

kaartkarton azuur 393 • papier koningsblauw 427 • eyelets fun lichtblauw • gelpen wit

Snijd van een vel azuur karton van de lange zijde (21 cm) een strook van 8,5 cm breed. Snijd met mal 3 een punt aan de strook. Vouw er een envelopje van. Snijd drie blauwe driehoeken met de mal en plak ze op de envelop. Leg de mal op het envelopje en teken lijntjes en eyeletgaatjes. Maak gaatjes en sla eyelets in het envelopje. Prik met een prikpen een gaatje dwars door het hele envelopje, door de eyelet op de punt. Maak een knoopje in het midden van de raffia. Steek met een grote naald de uiteinden van de raffia door het envelopje, via de eyelet op de punt. Maak aan de voorkant een strikje. Om de boodschap in het envelopje te kunnen lezen, moet men de strik loshalen.

Kaart 6

kaartkarton: wit 211 en koningsblauw 427 • eyelets donkerblauw • gelpen: wit en donkerblauw

Maak van wit kaartkarton een dubbel kaartje van 8 x 8 cm. Plak mal 5 op blauw karton en smeer pasta in het midden van de bloem. Delen die je niet wilt insmeren kun je afplakken met mallentape. Laat het goed drogen. Leg de schone mal weer op het blauwe karton, over de pasta heen en snijd de bloem uit. Knip de bruggetjes door en plak de bloem op het kaartje. Leg de mal op het kaartje en teken eyeletgaatjes. Maak gaatjes en sla eyelets in het kaartje. Teken stiksteekjes op het kaartje.

Kaarten voorwoord

Kaart 1

kaart 13 x 13 cm chamois 241 • papier: chamois 241, berkengroen 305 en sering 435 • eyelets fun roze • eyelets: groen en roze • Marjoleine's dessinpapier • gelpen donkerroze

Snijd een vierkant van 12 x 12 cm uit het dessinpapier. Plak het op de kaart. Plak mal 3 op chamois papier en embos de buitenste snijlijntjes van de ruit en de eyeletgaatjes. Teken eyeletgaatjes. Plak de mal op berkengroen papier en embos de middelste snijvlakjes en de snijlijntjes eromheen. Teken eyeletgaatjes. Snijd de ruit uit langs de derde snijlijn. Snijd de vier kleine driehoekjes uit sering papier. Plak alle stukjes papier op de kaart. Teken stiksteekjes. Leg de mal op de kaart en teken eyeletgaatjes op de hoeken. Maak gaatjes en sla eyelets in de kaart.

Kaart 2

kaartkarton korenbloem 425 • papier wit 211 en wijnrood 519 • Déjà Views paars • eyelets fun paars • gelpen: wit en paars

Neem een stuk lavendelkleurig papier van 10 x 15 cm. Teken aan beide zijden 4 cm af en vouw de strook om (zie tekening op pagina 32). Leg de strook weer open en plak mal 6 precies midden op de strook. Snijd de snijvlakjes van het lijfje van de vlinder uit. Embos de lijntjes van het lijfje en de eyeletgaatjes. Plak de mal op decoratiepapier en snijd de vleugels van de vlinder uit. Plak ze op de strook naast het lijfje. Snijd uit wijnrood papier de kop van de vlinder en teken het gezichtje. Snijd de voelsprieten er aan vast, via de lijntjes van de buitenste snijvlakken. Plak de kop op de strook. Plak de mal op wit papier en snijd de vlakken uit de vleugels, net als bij de lavendel kaart van hoofdstuk vlinders. Teken de eyeletgaatjes. Knip of snijd de vleugeltjes uit en plak ze op de lichtpaarse vleugels langs het lijfje. Sla de gaatjes en de eyelets in de vlinder en de strook. Pas op dat je de strook niet dubbel hebt, daar waar die uiteindelijk gevouwen moet worden. Vouw de strook dicht en plak de overlappende 1 cm van de strook aan elkaar. Neem een strook gedecoreerd papier in een bijpassend dessin van 15 x 6,5 cm, de hoeken bewerk je met een hoekpons of een hoekschaar. Teken stiksteekjes. Schuif de strook gedecoreerd papier de vlinderkaart.

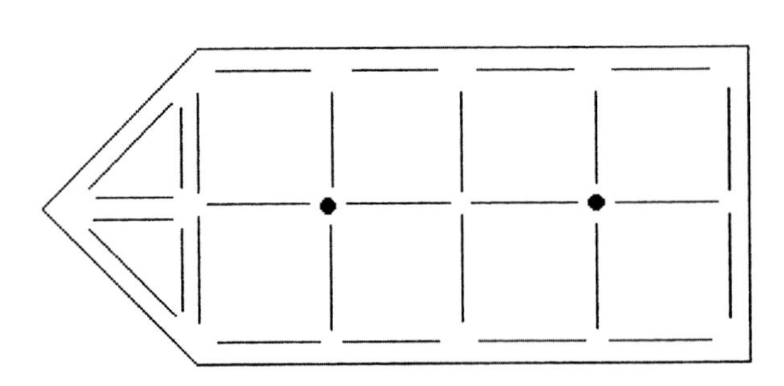

Tekening envelopje

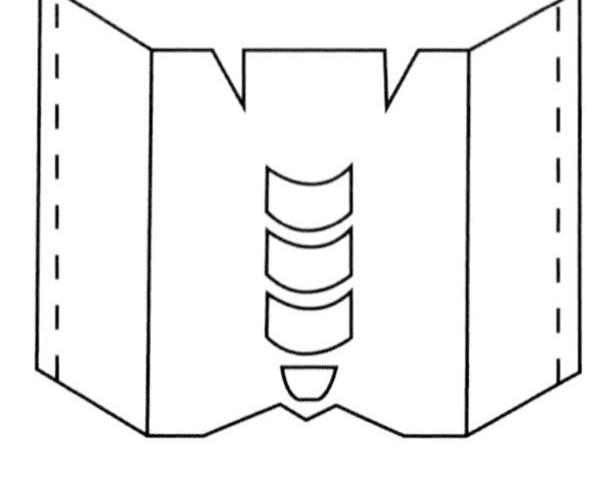

Tekening vlinderschuifkaart

Met dank aan Kars & Co BV te Ochten voor de ter beschikking gestelde materialen.